과분한 사랑 정말
항상 감사드립니다!

# GARBAGE TIME

DASAN COMICS

**매일매일 새로운 재미, 가장 가까운 즐거움을 만듭니다.**

한국을 대표하는 검색 포털 네이버의 작은 서비스 중 하나로 시작한 네이버웹툰은 기존 만화 시장의 창작과 소비 문화 전반을 혁신하고, 이전에 없었던 창작 생태계를 만들어왔습니다. 더욱 빠르게 재미있게 좌충우돌하며, 한국은 물론 전세계의 독자를 만나고자 2017년 5월, 네이버의 자회사로 독립하여 새로운 모험을 시작하였습니다.
앞으로도 혁신과 실험을 거듭하며 변화하는 트렌드에 발맞춘, 놀랍고 강력한 콘텐츠를 만들어내는 한편 전세계의 다양한 작가들과 독자들이 즐겁게 만날 수 있는 플랫폼으로 거듭나고자 합니다.

# #11
가비지타임
글·그림 **2사장**

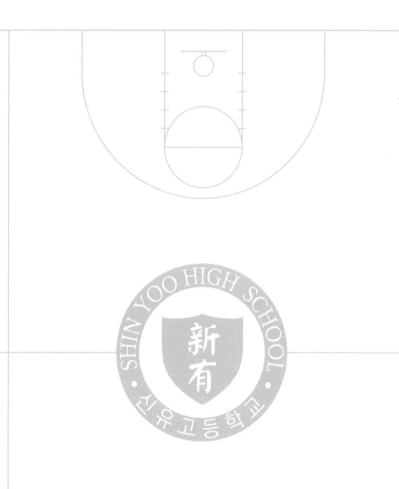

# CONTENTS

| SEASON-3 | 1화 | ★ | 007 |
| SEASON-3 | 2화 | ★ | 031 |
| SEASON-3 | 3화 | ★ | 055 |
| SEASON-3 | 4화 | ★ | 077 |
| SEASON-3 | 5화 | ★ | 099 |
| SEASON-3 | 6화 | ★ | 125 |
| SEASON-3 | 7화 | ★ | 149 |
| SEASON-3 | 8화 | ★ | 177 |
| SEASON-3 | 9화 | ★ | 207 |
| SEASON-3 | 10화 | ★ | 233 |

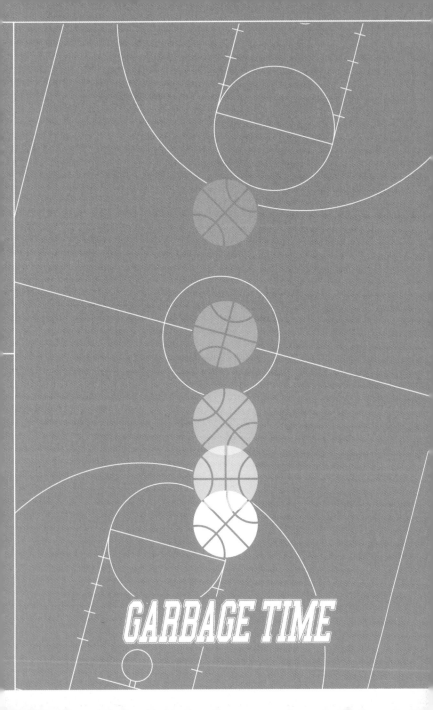

GARBAGE TIME

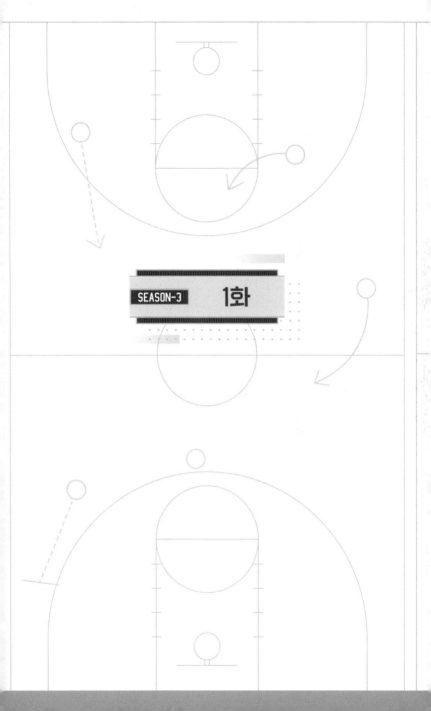

SEASON-3 1화

# GARBAGE TIME

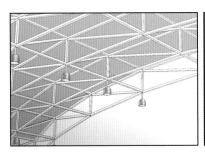

07 : 16

원중고 신유고

1

6 : 3

나이스!

07 : 10

원중고    신유고

1

6 : 5

하 씨…
힘 좋네.

전영중
수비 어때?

쟤랑
상대하는 건
처음인데.

뭐,
그냥저냥.

애초에 살짝
미스매치이긴 하지만
이 정도 체급 차는
버틸 수 있지 않을까
했는데

파워 차이가
이 정도일 줄은…

아무리 강인석의
일대일 기술이 별로라고 해도
골 밑에서 자리를
뺏겨버리면 기술이고 뭐고
너무 불리하다고.

하긴 뭐,
미스매치도 못 살리는 놈이
이 대 이를 잘한다고
소문났을 리가 없지.

스위치는
안 되겠어.

내가
노려야 할 건

볼 핸들러인
조신우다.

처음엔
*슬라이드.

*슬라이드 쓰루: 스크린의 뒤를 돌아 핸들러를 쫓는 것.

두 번째도
마찬가지.

세 번째는…

*파이트 쓰루: 스크린 위를 뚫고 볼 핸들러를 쫓는 것.

빠졌어!

없다!

리바!

나이사~!

05 : 01

원중고　신유고

1

10 : 7

앤드원!

와, 리바운드
높이 뭐야!?

지국민보다 머리
하나는 더 올라갔어!

추가 *자유투
1구!?

*자유투:
자유롭게 던지는 것.

온다!

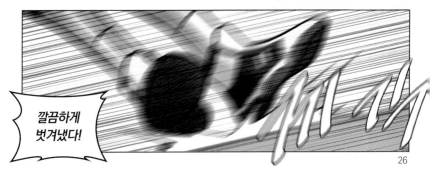

깔끔하게
벗겨냈다!

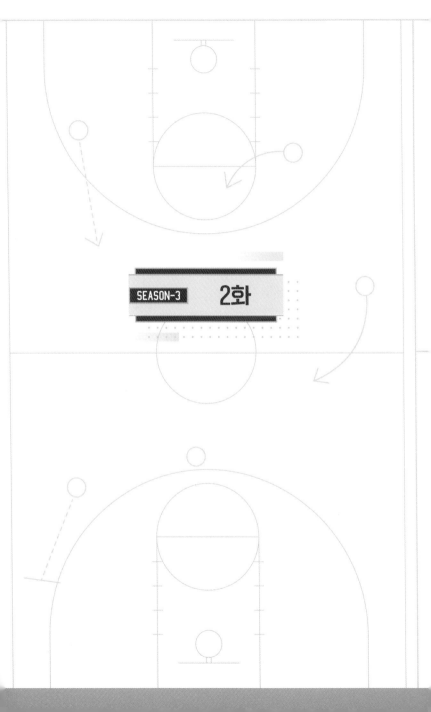

GARBAGE TIME

마무리!

아앗!?

미스다!

벌써…!?

*실패한 슈팅을 공중에서 그대로 득점으로 연결하는 것.

저 X끼가….

됐어,
내 실수였으니까
그만해.

○○ 분위기
안 좋아.

다들 지상고한테
진 거 때문에
예민해져 있어.

빨리 점수 차를
크게 벌려서
분위기를 바꿔놔야
돼.

원중고   신유고
1
10 : 10

망할.

신유고에
웬 미친놈처럼
뛰어다니는 놈이
나타났다더만

저 7번
얘기였잖아…!

뭐냐고, 방금은?
블록한 다음에
속공까지 쫓아 들어오다니

정말 4쿼터 내내
저 텐션으로
뛰어다니는 게
가능한 거야?

염병.

성가시게
됐어.

원중고는
허창현이를
상대하는 게 처음인
모양이구만.

허창현이의
활약에 동요하는 게
눈에 보인다.

원중고로선
예상하지 못한
변수겠지.

얼른 멘탈
부여잡지 못하면은

원중고 오늘
집에 가게 될지도
모른다.

43

뚫었다!

오케!

07 : 05
원중고 신유고
2
20 : 22

신유고가
리드 잡았어!

45

핸드오프를 이용한 투맨게임… 볼 핸들러의 부담을 줄이기 위함인가?

신유고도 나름 대비책을 세워 왔구만.

휘성아, 방금은 왜 스위치한 거야?

누가 봐도 스크린에 딱 걸릴 모양새였다고.

어쩔 수 없었어.

…쳇.

뭐… 틀린 말은 아니지.

여태 강인석의 스크린에 제대로 대처를 못 하고 있으니.

그
스크린도

강인석만
아니었다면
조신우가 숏 시도조차
못 할 정도로 막을 수
있었을 거야.

젠장···.

젠장···!

굿샷!

그대로
3점!

야금야금
도망가자!

```
04 : 21
원중고  신유고
          2
26 : 32
```

하, 진짜
갑갑하네….

영중이 형!

너무
걱정하지 마요.

내가
있으니까!

이제 영점
거의 다
맞춰졌으니….

그놈의 영점은 왜 게임 시작 전엔 안 맞춰지는 거야?

그건 저도 잘….

뭐 아무튼

지금부터

제 본모습을 보여드리죠.

야, 뭐 해?
위험하게 마스크를
왜 벗어?

괜찮아요.

원래 4주만 쓰기로
했던 건데 여태 간지 때문에
쓰고 있었거든요.

다 나은 지
좀 됐어요.

너는 진짜….

하…

교진이 형!

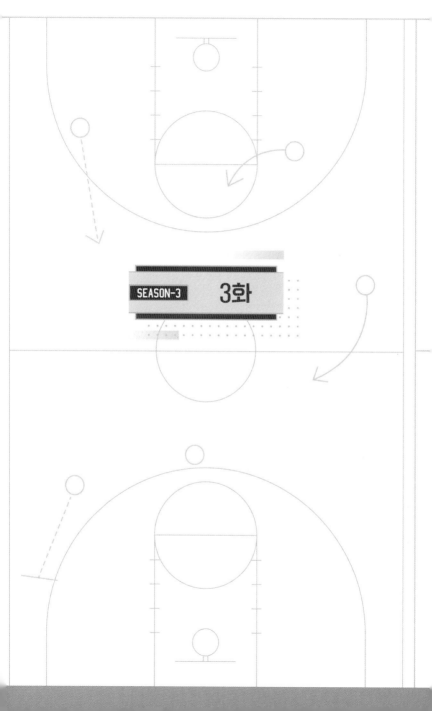

SEASON-3　3화

**GARBAGE TIME**

이거면…
된 거야….

어휴
저 또라이
X끼

그래….

재석이는
제정신이 아니다.

이 자식들이
진짜…

작작 좀 해!

!?

네 슛만
들어가기
시작한다면...

하지만

조재석의 3점은
한동안 들어가지
않았고

4쿼터
중반이 되어서야

조재석의
오늘 첫 3점슛이
터졌다.

굿샷!

드디어
하나 들어갔다!

04 : 50

원중고   신유고

4

58 : 65

그래, 이거지!!!

역전 가즈앗!!!

쟤는 참… 멘탈이 좋은 건지 뻔뻔한 건지

3점 다섯 개를 내리 실패하고도 던지는 데 망설임이 없네.

연속 3점!

이제야 영점이 맞춰졌구만!

4점 차야! 아직 모른다!

04 : 25

윈중고 신유고

4

61 : 65

아이씨…

오늘은 운 좋게 안 터지나 싶었는데 끝날 때 다 돼서 기어코 시동을 거는구만…

조재석이 잠잠하던 사이에 점수라도 많이 쌓아놨어야 했는데

후반 들어서 공격 흐름이 끊겨버렸어.

저 4번
때문에….

원중고는
후반부터
지역방어를
시작.

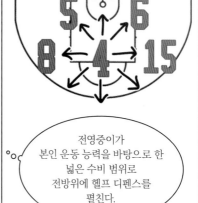

전영중이가
본인 운동 능력을 바탕으로 한
넓은 수비 범위로
전방위에 헬프 디펜스를
펼친다.

그 결과

강인석을 필두로 한
신유고의 공격 효율을
떨어뜨리는 게 어느 정도
가능해졌다.

블록숏!!!

속공!

이런…!

찬스!

속공 3점!

73

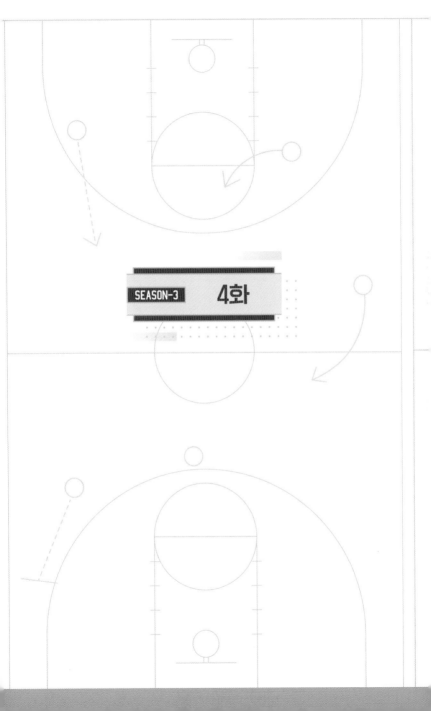

SEASON-3　4화

GARBAGE TIME

오케이!

다시 1점 차!

1 : 39

친중고   신유고

4

70 : 71

지금부터 먼저 삐끗하는 쪽이 진다!

지국민 슬슬 살아난다!

천하의 허창현도 림 근처에서 볼을 잡은 지국민 앞에선 그저 허수아비에 불과한 것인가!?

이 개자식들, 엑스트라인 척 막말하지 마!

허창현!

다음 수비부터 지국민은 나한테 맡겨.

넌 니 다리를 이용해서 수비 구멍을 메꾸는 데에 집중해.

형님은 뭔데 그런 걸 X대로 정하시는 겁니까?

감독님 지시야.

야마 돌게 하지 말고 그런 건 좀 빨리빨리 말하십쇼.

이 자식이 오냐오냐해줬더니 말버릇이….

자유투
1구!

굿샷!

하나 더!
하나 더!

01 : 22

신중고  신유고

4

70 : 72

스텝백!?

한 발자국
뒤에서…

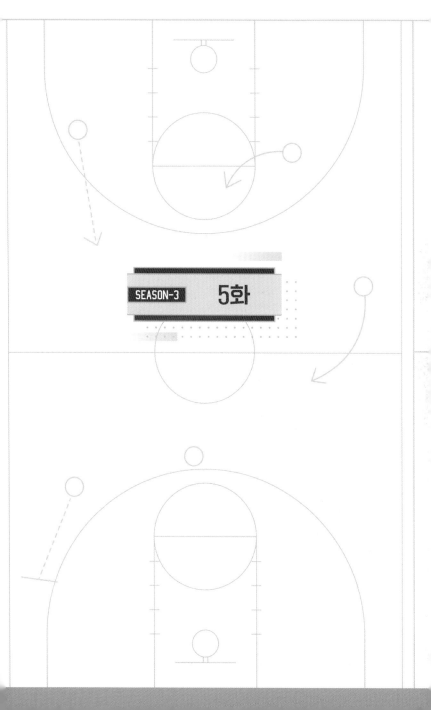

SEASON-3 5화

GARBAGE TIME

101

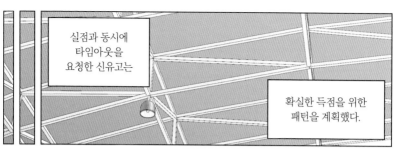

실점과 동시에
타임아웃을
요청한 신유고는

확실한 득점을 위한
패턴을 계획했다.

나이스!

다시 역전!

00 : 51
원중고  신유고
4
73 : 74

골 밑 비었어!
해결해!

......
29초.

00 : 29

원중고　신유고

4

다행히 공격권은
한 번 돌아온다.

다만 이번 수비는
반드시 성공시켜야 돼.

2점을 먹히면
3점슛으로 옵션이
제한돼서 공격이
어려워지고,

만약
3점을 먹히면

사실상
게임 끝이다…!

교진이!
늦었어!

뽈 세워!
패턴으로 해!

조재석!

잡았어!!!

찬스다!

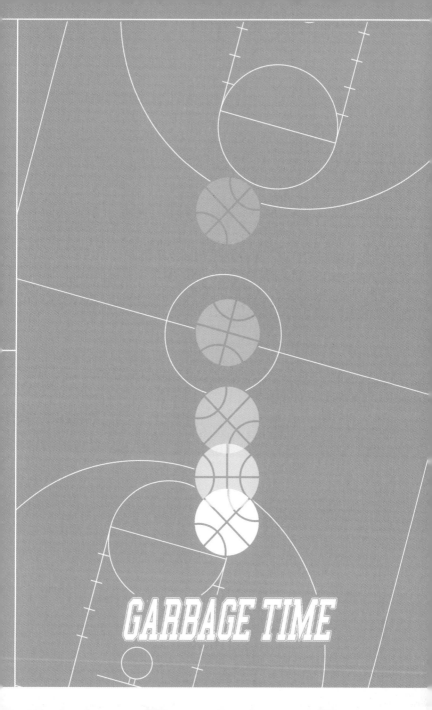

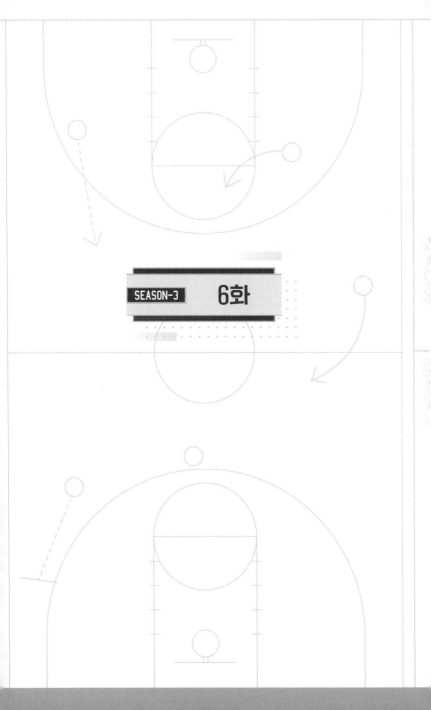

SEASON-3 6화

GARBAGE TIME

00 : 09
원중고  신유고
4
78 : 74

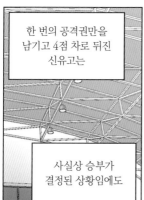

한 번의 공격권만을
남기고 4점 차로 뒤진
신유고는

사실상 승부가
결정된 상황임에도

됐어!
파울만 하지 마!

하나 남은 타임아웃까지
소비해가며 끝까지
반전을 노렸지만

마지막 공격이
실패하자 결국
패배를 받아들였다.

......

구석 깨끗하게 샤워하는 법! 이것만 하면 나도 인싸!
회수 50회

댓글 1

섯맨 | 버섯맨
흥흥 1빠

힝ㄲ

하하

잘하긴 뭘.

너만큼은
아니지.

이 대 이
되게 잘하더라,
너네.

야, 야!
니네 수비가 왜
그 모양이냐?

먹을 게 없어서
전영중한테
3점 먹고 지냐?

…

이제 어쩔 거야?

어쩌긴 뭘.

하던 대로 연습하고 대통령기든 어디든 다른 남아 있는 대회에서 내 실력을 증명해야지.

특히…

슈팅 연습에

시간을 더 투자해보려고.

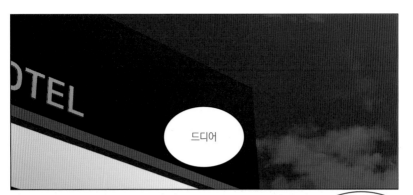

드디어

토너먼트 대진표
추첨 결과가 나왔다!

오오!

어때요!?

쫌 약한 데랑
붙으면 좋겠는데!

좋은 소식
나쁜 소식
뭐부터 말해주까?

나쁜 거요!

아 그걸 왜
니 맘대로
정하는데!?

141

나쁜 소식은…

없다.

조별 예선이
워낙 빡셌던 우리도
이제야 쫌 풀리려는지

아주 쉬운
대진표가
만들어졌다.

그냥 하는 말이
아이라

꽤 높은
확률로

결승까지
바라볼 수 있는
대진표다.

우리가 해치우고 올라온
상평고나 신유고에 비하면
분명 한 티어 아래의 전력이다.

지금의
우리라면은

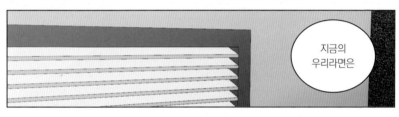

**15점 차
이상으로도
이길 수 있다.**

예상 스코어
맞춘 적도 별로
없으시면서
무슨…

여물라고.

하 X끼는 말하는
싸가지가 진짜…

......

아무튼 간에,
우리 예상대로
강문고를 제끼고 4강에
올라간다면 상대는
이 둘 중 하나.

어…?

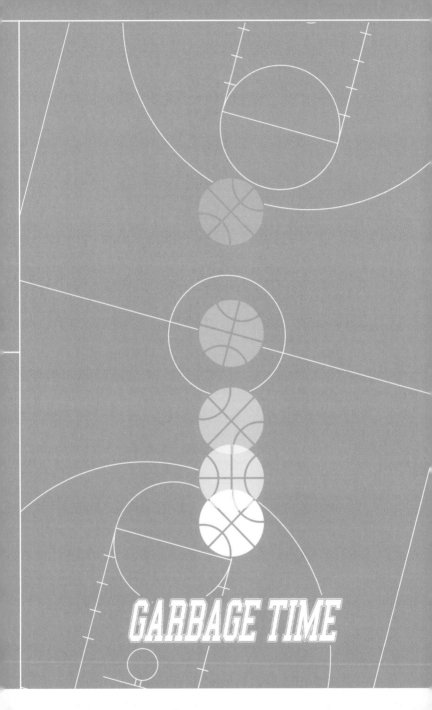
GARBAGE TIME

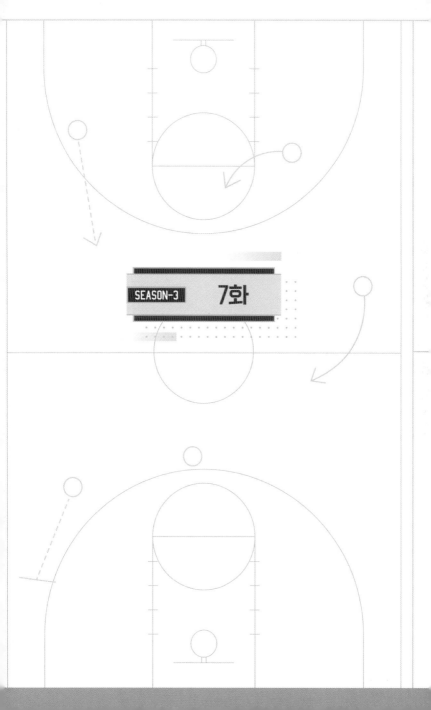

SEASON-3 7화

GARBAGE TIME

**◀남고부▶ (16개팀)**

| A | 선대부고 | 강문고 | 종원공고 | 양훈사대 |
|---|---|---|---|---|
| B | 지상고 | 신유고 | 원중고 | 상평고 |
| C | 장도고 | 주용상고 | 방용고 | 도진고 |
| D | 무준고 | 기호전자 | 진훈정산 | 조형고 |

둘 중 누가
4강에 올라오건
하나도 상관없다.

우리가 정신줄만
안 놓치면은
20점 차 이상으로
이길 팀들이니까.

레알루요?

ㅇㅇㄹㅁ

근데…

조형고는

③

주용
상고

장도고          조형고

어예
올라왔대요?

어!?

뭐고!?
진짜네!?

병찬 햄
뛰었나!?

병찬 햄
뛰었으면
D조 1위로
올라왔지.

미친,
X라 보고 싶다
이 게임!

자세한 거는
내도 모른다.

뱅차이 안 뛰어도
D조 정도 조 편성이면
조형고가 2위 할 만할
거 같기도 하고….

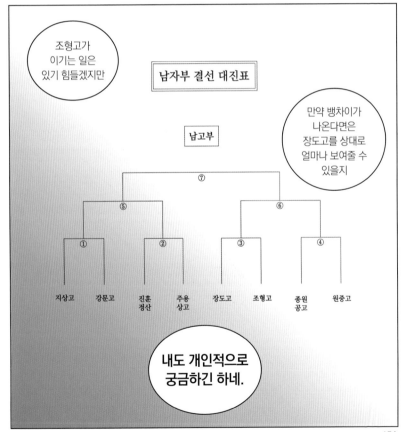

154

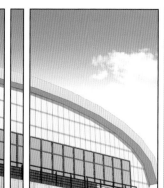

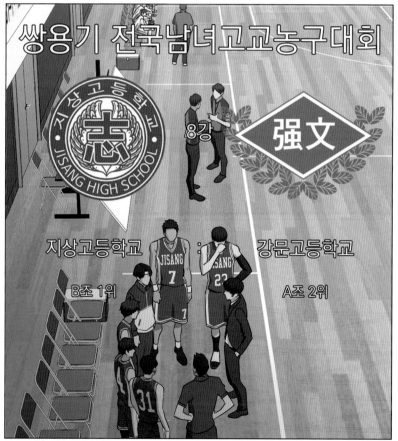

야, 야.

집중들 하고 게임하래이.

정신만 차리고 있으면 강문고랑 어려운 게임 할 일이 없다.

얘들만 넘기면 4강 상대는 더 쉽다고. 오케이?

예.

글고 재유.

옙.

초반에는 볼 잡으면 서너 번까진 무조건 안으로 판다고 생각해.

강문고에는 니 막을 만한 놈 하나도 없으니까 떡 사세요 하고 있지 말고 림부터 보라고.

초반에 몇 개만 니가 직접 넣어주면 패스할 데 알아서 생긴다. 알았제?

옙.

156

흥.

보니까 원중고 주전 한 명이 저번 대회에서 입은 부상 때문에 이번 대회에도 빠졌다는데.

그런 원중고를 이긴 게 뭐가 어쨌다는 거야?

주전 한 명 빠진 원중고 따위

우리도 이길 수 있다고.

에이 그건 오바지.

맞아. 사실 나도 말해놓고 좀 오반가 싶었어.

158

자, 자!

다들 잠깐 여기 집중해봐.

생각지도 못한 팀이 8강 상대가 되는 바람에 상대 팀 정보를 구하는 게 늦어졌어.

지금이나마 뒤늦게 설명해줄 테니 한 번에 잘 들어.

보아하니 원중고를 상대로 이긴 거 때문에 시끌시끌한 모양이던데

경기를 직접 본 사람들 말에 따르면 지상고가 원중고를 상대로 경기 내용에서 우위였다고 보기는 힘들다고 해.

말도 안 되는 외곽슛이 연이어 터지는 등 운이 많이 따랐다는 얘기지.

그렇다고 너무 쉽게 생각하지도 마.

애초에 원중고와 비등비등한 경기가 가능한 수준이니 운의 요소로 게임을 뒤집는 게 가능했던 거라고.

예.

뭐, 아무튼

한 명씩 설명해주자면…

먼저 진재유.

아는 사람은 다 알겠지.

예전에 나름대로 이름 날렸던 녀석이니까.

직접 득점하는 타입의
포인트가드는
아니었던 거로 기억하는데

지금은 지상고의
1옵션 에이스다.

워낙에
패스 센스도 있고
볼 핸들링도 좋은
녀석이니까

스틸을
노린다든가
하는…

잡아먹는
수비는
하지 마라.

아니면…

직접 슈팅!

좋다 좋아~!

05 : 58

|상고   강문

1

6 : 2

나이스!

그러니 만약

외곽 슈팅을
허용할 수밖에 없는
상황이 오면

6번
노마크!

쳐냈다!

?

172

김다은의 경우엔
공태성보다는
체력적으로나 기술적으로나
안정되어 있는 모양이야.

내 패스
기가 막히제?

개솔 ㄴ
아무렇게나 쳐낸 거
다 앎

골밑슛, 레이업,
풋백 득점 등 득점 루트가
골 밑으로 제한되어 있는
공태성과는 다르게 자유투 라인
부근까지 나와서 슈팅하는 경우가
아주 가끔은 있다고 해.

그리고

그다음.

가장 이런저런
얘기가 많이
나왔던

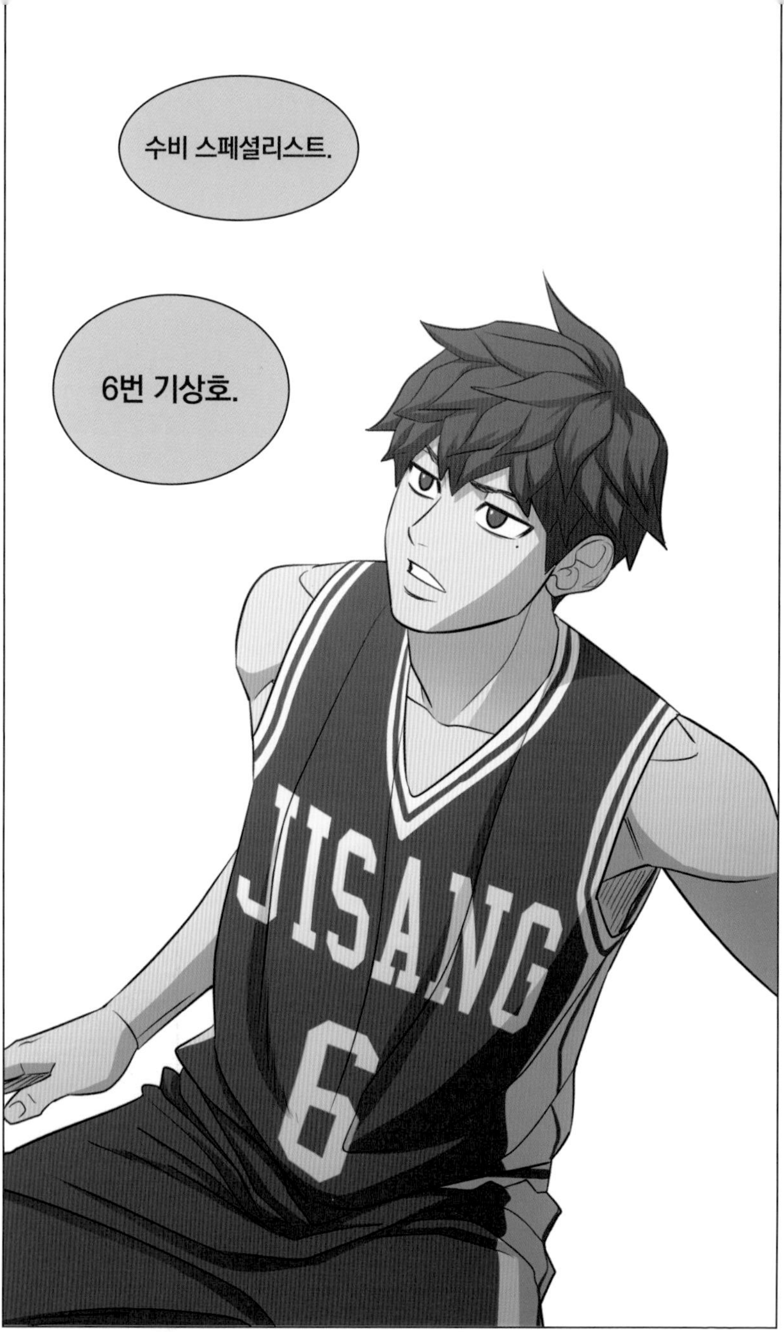
수비 스페셜리스트.
6번 기상호.
JISANG
6

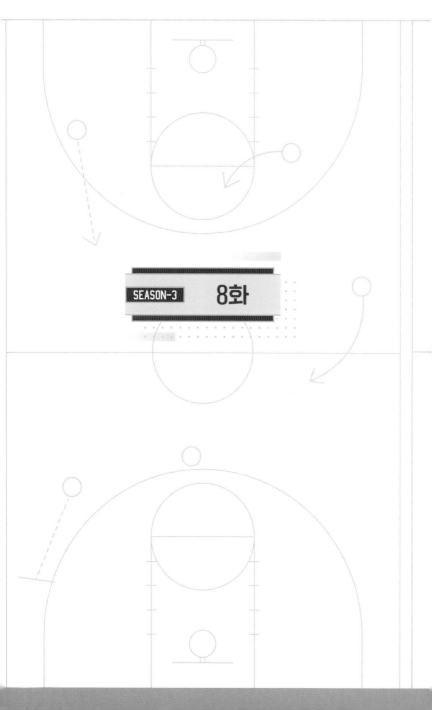

SEASON-3  8화

GARBAGE TIME

6번이 쟤야?

조재석을 그렇게
잘 막았다며?

강인석이
20점을 못 넘긴 것도
쟤가 조신우를 잘 막아줘서
그런 거라더라.

박병찬을
꽤 고생시켰다는
얘기도 있고.

근데 기록지 보니까
조재석은 쟤 상대로도
득점 꽤 올렸던데.

헛소문
아니야?

기록지에 쓰인 수치만으로는 알 수가 없지.

게임을 직접 본 사람들은 알 거야.

그날 조재석의 슈팅 감각이 꽤 좋았기에

많은 득점을 올렸던 건 사실이지만

분명

3쿼터 이후로
한동안은

조재석을
완벽히 묶어놨어.

6번 저 녀석은
대체…

낄낄
왼쪽으로밖에
못 가네~!?

…?

재유 햄!
39번 왼쪽밖에
못 가요!

오른쪽은
그냥 열어놓으라구요!
낄낄

183

저 X끼가…!

날 뭘로
보고…!

기상호는
디펜스가 좋다는
얘기 외에도

1학년치곤
괜찮은 운동 능력을
가지고 있다는
말도 있어.

끄응

슈팅력에 대해선
의견이 분분해.

슛이 아예 없다,
매번 짧게 떨어진다.
이렇게 얘기하는 사람이
있는 반면에

넣어야 할 건
넣어준다, 꽤 괜찮더라.
이런 식으로 얘기한
사람도 있었어.

워낙에 정보가
없는 녀석이라
어떤 게 맞는지는
아직도 몰라.

그러니 일단

두어 개
정도는

굿샷!!!

아휴…

2쿼터
20점 차!

: 05

지상고   갈문고

2

게임 터졌다!

6번
백투백 3점!

38 : 18

난 농구를
하는 게 아니야.

40분간
리듬을
타는 거지.

마지막

정희찬.

3학년 가드들과 비교해도
빠른 축에 속할 정도로
주력이 좋다고 알려져 있다.

보아하니
팔을 엄청 크게 다친 건
아닌 거 같은데

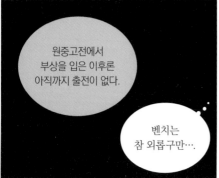

원중고전에서
부상을 입은 이후론
아직까지 출전이 없다.

벤치는
참 외롭구만….

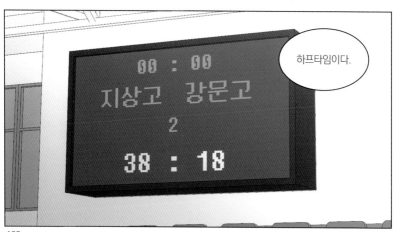

고생들 했다!

상호 인마
아까 뭐 39번
왼쪽 없어요! 이럼서
입 엄청 털대?

히히

것도 사람
가려가면서 하래이.
가끔 열받으면
더 잘하는 놈 있다.

자, 얘들아.
쉬면서 들어라.

지금 예상했던
거보다도 훨씬 큰
차이로 앞서고
있거든?

딱 3쿼터까지만
빡세게 뛰어보고

만약에 3쿼터 끝나는
시점까지 지금 이상으로
점수 차 유지되면은
4쿼터부터는 패턴 잘 안 됐던 거,
쫀 디펜스 연습해보자고.
오케이?

옙.

글고 루즈볼에
몸 날린다든가 이런 거도
4쿼터에 20점 차 이상이면은
엔간하면 하지 마래이.

안 다치는 게
제일 중요하다.
한 명 더 다치면
끝장인 거 알제?

예.

좋아.

이대로만
잘 마무리하자.

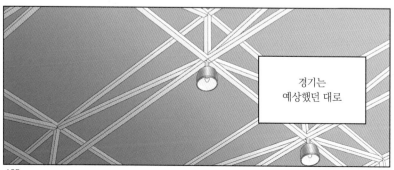

경기는
예상했던 대로

쌍용기 전국남녀고교농구대회

8강

지상고등학교 : 강문고등학교

77 63

경기 종료

별다른
반전 없이
마무리되었다.

## 주요 스탯

진재유: 21득점(3PT 1/2) 8어시스트 4스틸
성준수: 26득점(3PT 5/7) 5리바운드
공태성: 8득점 13리바운드 2블록슛
김다은: 12득점 12리바운드 3블록슛
기상호: 10득점(3PT 2/6) 3스틸

같은 날
지상고는

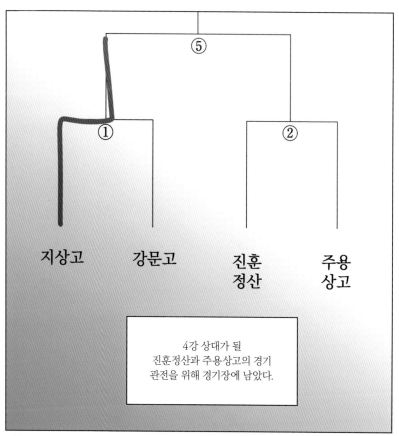

⑤

① ②

지상고 강문고 진훈 주용
정산 상고

4강 상대가 될
진훈정산과 주용상고의 경기
관전을 위해 경기장에 남았다.

접전 양상으로
진행되던 경기는

경기 종료가
가까워질수록

특유의
달리는 농구를 보여준
진훈정산 쪽으로
기울었다.

저희도 주력이라면 나름 괜찮다고 생각하는데…

진훈정산은 다들 엄청 빠르네요.

게다가 저만치 빠른 페이스의 농구라면 저희랑 상성도 안 좋아 보여요.

태성 햄 또 피똥 싸겠네요.

뭐라노 X시 같은 게. 오늘 4쿼터 졸X 편하게 다 뛰었는데.

강문고야 완전 반코트 농구만 하니까 글지.

너무 걱정할 거 없다.

우리한테 위협이 될 만한 거는 딱 저 속공 하나뿐.

속공 원툴

키도 다들 작고, 3점 제대로 던질 줄 아는 놈도 별로 없는 데다 디펜스도 평균 이하.

199

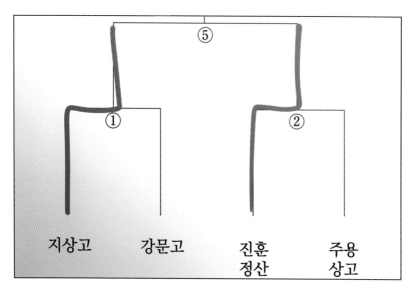

지상고    강문고     진훈    주용<br>
                           정산    상고

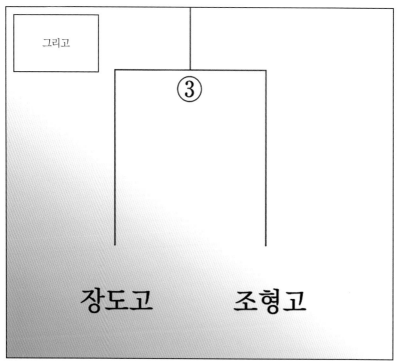

그리고

장도고       조형고

병찬 햄!

오늘 뛰어요!?

必死卽生

제발 오늘…

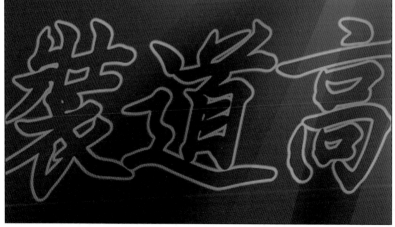

205

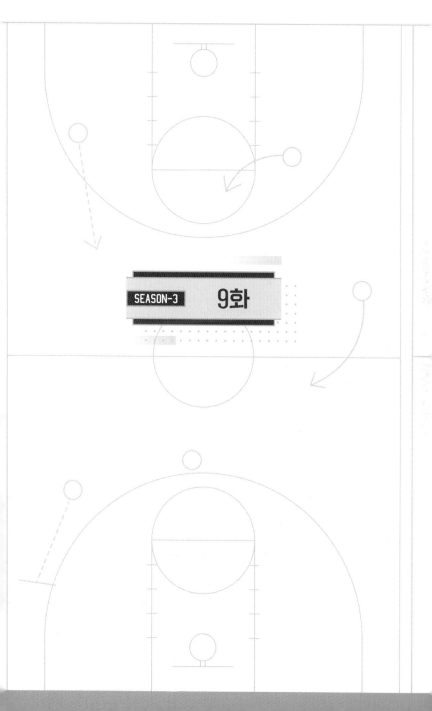

SEASON-3 9화

GARBAGE TIME

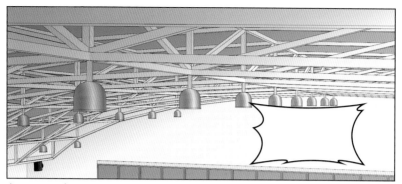

......

조형고가
크게 질 줄은
알고 있었는데…

설마
이 정도일 줄은….

08 :

장도고 조형고

2

28 : 9

내도 조형고가
이 정도로 깨질 팀은
아이라 생각했는데

근데…

병찬 햄
오늘 나오긴 함?

벤치에서
소리만 지르고
있음.

아 씨…
그러고 보니
오늘

맞대결

기대하고
있었는데.

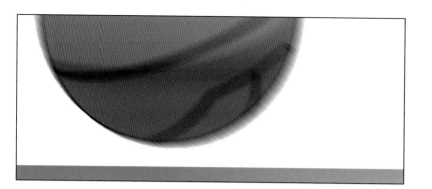

뚫었다!

216

222

근데 점마 188 암만 봐도 아인데.

얼마 전에 나온 기사에서는 188이랬는데

제가 보기에도 그것보단 확실히 커 보여요.

영중 햄이랑 비슷해 보이는데… 그새 컸나?

왜 키를 줄여 말하는 걸까요?

나중에 포워드로 뛰게 될 가능성을 원천 차단하려고 그런 게 아닐까?

사실이라면 배가 부른 녀석이네요.

뭐, 최종수 정도면 국내 대학이라면 어디든 원하는 데로 갈 수 있을 테니….

글쎄. 쟤가 대학을 간다면 외국으로 가겠지.

06 : 05

장도고    조형고

2

대학 안 가고 싶어 한다는 얘기가 있던데.

근데 종수 저 자식

36 : 12

병찬이.
착지 항상 신경 써.

덩크를 하더라도
림 꽉 쥐고
사뿐히 내려오란 말이야.

걱정 마세요.
덩크 이제 겁나서
하지도 못해요.

…

참…

이번 대회에
병찬이 없이 조별 예선을
통과할 만큼 쉬운
조 편성이 나올 줄
알았다면

협회장기 때
병찬이 말을
들어주는 게
아니었는데….

후…
됐다.
미래를 알 수
있던 것도 아니고…

지금 목표에만
집중하자.

척척

척척

미묘하게 평소보다 많은 관중.

아마 최종수나 다른 장도고 아이들을 보러 온 사람들이 대부분이겠지.

병찬이의 몸 상태가 그리 심각하지 않다는 걸 보여줌과 동시에

병찬이의 기량을 과시할 최적의 경기다.

병찬이.

약속했던 대로 전반 끝날 때까지.

딱 6분이다.

하고 싶었던 거 다 하고 나와. 아무 말도 안 할 테니.

오예~

근데 6분 5초 남았는데요

오예~

5초는 뽀너스!

오, 박병찬 나온다!

박병찬이랑 최종수가 매치되겠지? 재밌겠는데!

우와아성

우와아성

꺄아악!!!

박뺑 화이팅!!!

저 사람이 박병찬 맞죠?

인기 많네.

박병찬 몰랐어? 나름 유명했는데.

같이 게임 뛴 적 있어요?

아니.

잘 몰라…

선배들 통해서 이름만 들어봤어….

종수!

넌 알지? … … …

나 초딩 때 한번 박병찬 경기 뛰는 거 본 적 있어. 운동도 하루 같이 했었는데.

진짜? 어땠어?

개잘해. 좋X 빠르고.

옆으로 뛰어가는데 바람이 쏴악 하고 불더라니까?

에이 뭔 바람이 쏴악이야, MSG 넣지 마! 하하

그리고 2년 유급해서 우리보다 나이 많아.

왜 유급했대?

자주 다쳐서 고생했나봐.

저런 안됐네. 폼도 많이 죽었겠지?

왕성

왕성

저번에 들었는데 웬 듣도 보도 못한 1학년한테 막혀서 턴오버 엄청 했나봐.

지금은 예전만큼은 아닌가보네.

뭐, 아무리 잘한다 해도

우리 종수만큼은 아니겠지.

그쵸, 감독님?

푸하핫!

그야 당연히…

박병찬이
한 수 위다.

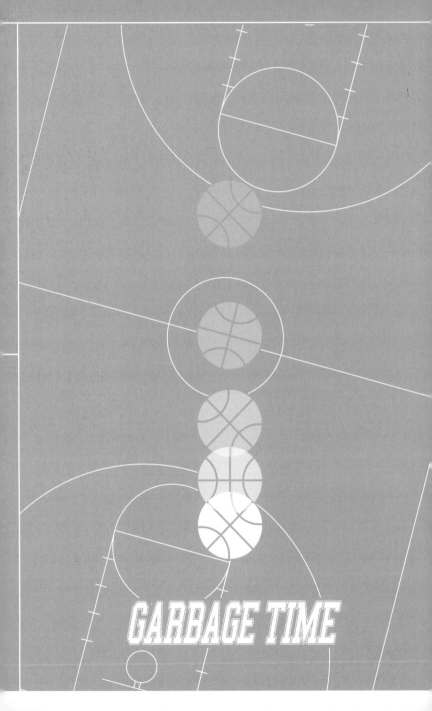

GARBAGE TIME

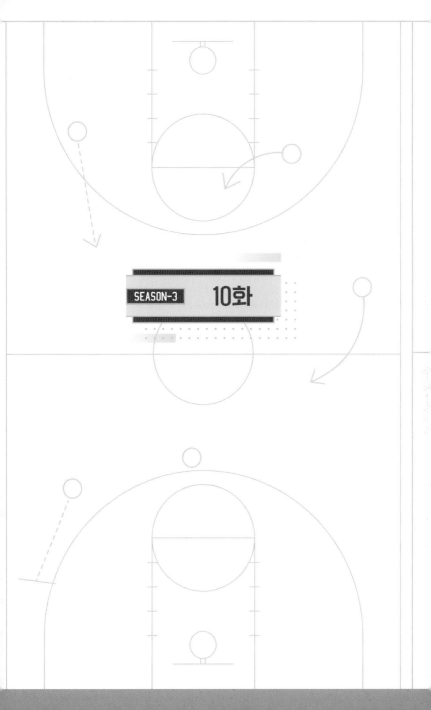

SEASON-3　10화

GARBAGE TIME

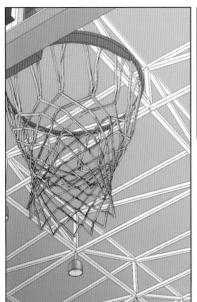

말도 안 돼.

잘한다고는 들었지만
종수보다 한 수 위라니…

그 정도
은둔고수일 줄이야.

감독님이
방심하지 말라는
의미에서 그냥 한 말
아닐까요?

그런가?

238

내 옆으로
뛰어가는데…

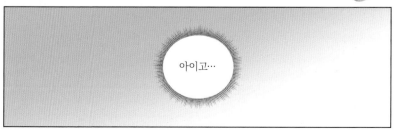

너 인마
저번부터 자꾸
말 거는데…

혼잣말한
건데요.

시끄러.
할 말 있으면
주장 통해서 해.

한 번만 더
말 걸면 바로
테크니컬 분다.

으
그건 쫌….

첫.

뭐, 어차피
30점 차니까…

아, 26점
차인가?
뭐 아무튼.

와…

방금 플레이는
진짜…

메이드가
안 된 건 아쉽지만

장도고 프레스를
다 찢고

심지어 최종수마저
제낀 다음에

자유투까지
얻어냈어.

불쑥이 높긴 높네

5센치만 더 컸어도
앤드원 만들 수 있었겠는데···

生 늑대정신

造 形

21

劍道

23

形

25

굿샷!

자유투
2구까지 성공!

03 : 40

장도고 조형고

2

38 : 14

6분이라는
짧은 시간 동안만
뛰기로 해서 제 기량을
못 보여줄까
걱정했는데

방금 단 한 번의
플레이로 충분히
보여준 거 같아
다행이군.

그럼 이만
빼버려도···

아너지,
너무 빨리 빼면
오히려 몸 상태를
의심할 거야.
약속한 거도
지켜야 하고,
암

이규.

줘봐.

뭐야?

종수 저 자식, 지가 볼 들고 넘어오는데요?

방금 농락당한 거에 완전히 열받았나봐요.

하하, 단순한 놈. 넘어와서 패스 받으면 될 거를.

좋다, 최종수! 그래야 너답지!

일대일로
눌러버려!

안녕?

넌 날
모르겠지만…

기다리고
있었다.

잘해보자고~!

12권에서 계속

# 가비지타임 11

**초판 1쇄 발행** 2024년 5월 1일
**초판 2쇄 발행** 2024년 6월 10일

**지은이** 2사장
**펴낸이** 김선식

**부사장** 김은영
**제품개발** 정예현, 윤세미  **디자인** 정예현, 정지혜(본문조판)
**웹툰/웹소설사업본부장** 김국현
**웹소설팀** 최수아, 김현미, 심미리, 여인우, 이연수, 장기호, 주소영, 주은영
**웹툰팀** 이주연, 김호애, 변지호, 안은주, 임지은, 조효진, 최하은
**IP제품팀** 윤세미, 설민기, 신효정, 정예현, 정지혜
**디지털마케팅팀** 김국현, 김희정, 신혜인, 이소영
**디자인팀** 김선민, 김그린
**저작권팀** 한승빈, 윤제희, 이슬
**재무관리팀** 하미선, 김재경, 윤이경, 이보람, 임혜정  **제작관리팀** 이소현, 김소영, 김진경, 박예찬, 이지우, 최완규
**인사총무팀** 강미숙, 김혜진, 지석배, 황종원  **물류관리팀** 김형기, 김선민, 김선진, 전태연, 주정훈, 양문현, 이민운, 한유현
**외부스태프** 리채(본문조판)

**펴낸곳** 다산북스  **출판등록** 2005년 12월 23일 제313-2005-00277호
**주소** 경기도 파주시 회동길 490
**전화** 02-702-1724  **팩스** 02-703-2219  **이메일** dasanbooks@dasanbooks.com
**홈페이지** www.dasan.group  **블로그** blog.naver.com/dasan_books
**종이** 더온페이퍼  **출력·인쇄·제본** 상지사  **코팅·후가공** 제이오엘엔피

**ISBN** 979-11-306-5181-1 (04810)
**ISBN** 979-11-306-5170-5 (SET)